Título original: *Moon Man*

© 1966, Diogenes Verlag AG Zürich
Todos los derechos reservados.
© 2012, de esta edición: Libros del Zorro Rojo
Barcelona – Buenos Aires
www.librosdelzorrorojo.com

Traducción: Elena del Amo

Dirección Editorial: Fernando Diego García
Dirección de Arte: Sebastián García Schnetzer
Edición: Carolina Lesa Brown
Maquetación: Marcela Castañeda

ISBN: 978-84-940336-2-9   Depósito legal: B-122565-2012

Primera edición: octubre de 2012

Impreso en Barcelona
por Índice

Tomi Ungerer
HOMBRE LUNA

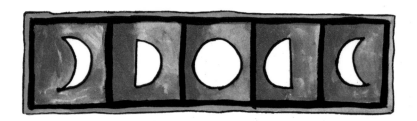

LIBROS DEL ZORRO ROJO

En las noches claras y estrelladas, puedes ver
un ovillo en un brillante lugar del espacio.
Es Hombre Luna.

Cada noche, desde su esfera flotante,
Hombre Luna veía a la gente bailar en la Tierra.
«¡Si al menos pudiera unirme a su diversión
solo una vez!», pensaba con envidia.
«La vida aquí arriba es tan aburrida...».

Una noche pasó una estrella fugaz
y, de un salto oportuno, Hombre Luna
se agarró a su cola ardiente.

Al oír el estruendo, los animales del bosque huyeron aterrados.

El ruido atrajo a cientos de personas
de la ciudad más cercana.
Los soldados acudieron a toda velocidad
a defender la Tierra, los bomberos
corrieron a apagar la luz aún llameante
y el heladero instaló deprisa su puesto
para los espectadores.

Sin embargo, cuando llegaron al lugar del impacto, nadie pudo determinar qué podía ser aquella pálida y suave criatura que asomaba desde el fondo del cráter.

El alerta corrió entre los funcionarios públicos
y el terror se apropió de los científicos,
los generales y los hombres de Estado.
Todos, sin excepción, llamaron «invasor»
al misterioso visitante.

Encerraron a Hombre Luna en la cárcel mientras
un tribunal especial realizaba una investigación criminal.
Hombre Luna sintió que sus esperanzas de bailar
entre una alegre multitud y sus luminosas farolas
se desvanecían en el aire.

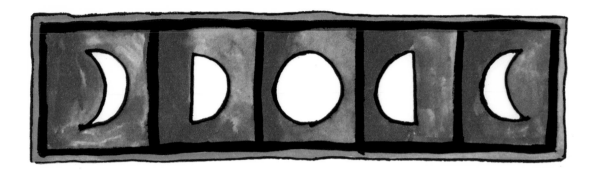

Una noche, en el instante en que Hombre Luna
se preguntaba por qué era tratado con tanta crueldad,
notó que su lado izquierdo había desaparecido.
«Está claro que debo de estar en mi tercera fase»,
pensó feliz.

A partir de entonces, cada noche menguó un poco más
hasta que pudo deslizarse entre los barrotes
de la ventana.

Cuando el jefe de las fuerzas armadas
fue de visita para examinar al extraño cautivo,
encontró la celda vacía. Al saberlo,
el general enfureció.

Días después, cuando la luna volvió a entrar en cuarto creciente, apareció también un cuarto de Hombre Luna. Y, dos semanas más tarde, había recuperado su tamaño normal.

Encantado con su libertad, empezó a caminar
y a descubrir con cada paso el suave aroma de las flores,
los espléndidos pájaros y las mariposas.

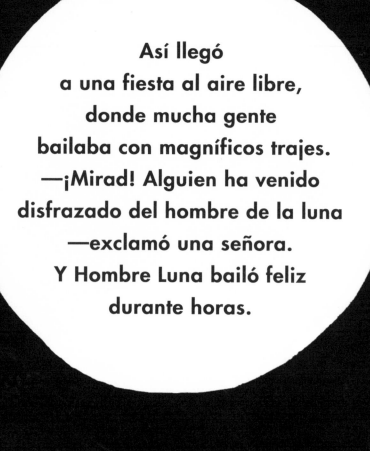

Así llegó
a una fiesta al aire libre,
donde mucha gente
bailaba con magníficos trajes.
—¡Mirad! Alguien ha venido
disfrazado del hombre de la luna
—exclamó una señora.
Y Hombre Luna bailó feliz
durante horas.

Por desgracia, un aguafiestas gruñón
se quejó a la policía de que la música
estaba durando hasta muy tarde.

Asustado al ver las pistolas y los uniformes,
Hombre Luna huyó al bosque.
Pero los policías le descubrieron
y empezó una salvaje persecución.

Hombre Luna se alejó con rapidez.
A gran velocidad, cruzó el campo y llegó
a un solitario paraje en el que había
un castillo muy antiguo.

Allí fue muy bien recibido por un científico olvidado,
el doctor Bunsen van der Dunkel, que durante siglos
había estado perfeccionando una nave espacial
para llegar a la luna.

Ahora su obra estaba terminada y descansaba
en una torre del castillo, lista para el lanzamiento.
El doctor Van der Dunkel era demasiado viejo
y gordo para caber en la cápsula. Por eso,
pidió a su invitado que fuera el primer pasajero.
Y Hombre Luna, que había comprendido que nunca
podría vivir en paz en este planeta, aceptó.

El doctor Van der Dunkel decidió esperar a que la luna estuviera en cuarto menguante. «Para entonces Hombre Luna se habrá hecho tan pequeño como para caber en la cápsula», pensó. Varias noches más tarde, ambos se despidieron con lágrimas en los ojos. Luego, el rugido del cohete dijo adiós.

Como el lanzamiento de la nave espacial
había sido un éxito, el doctor Van der Dunkel
recibió por fin el reconocimiento
que durante tanto tiempo había merecido.
Además, fue elegido presidente
de un importante comité científico.

Hombre Luna nunca más volvió a la Tierra.
Su curiosidad había sido satisfecha.
Se hizo un ovillo y se acurrucó
en su brillante lugar del espacio,
donde permanece desde entonces.

Tomi y su mamá, 1933.   © Familia Ungerer

Tomi Ungerer

Irreverente y polémico, provocador y satírico, pero, ante todo, humano y comprometido, Jean-Thomas Ungerer es un ilustrador inclasificable que abordó múltiples caras del arte. Nació en Estrasburgo, en 1931. Su infancia estuvo marcada por dos hechos que influirían en su extravagante personalidad. El primero fue la muerte de su padre, de quien aprendió el amor y el respeto por los libros. El segundo, la invasión alemana a su ciudad natal, en la Segunda Guerra Mundial, por la cual desarrolló un agudo sentido de la observación y un espíritu rebelde contra toda autoridad. A los 25 años, atraído por la cultura estadounidense, viajó a Nueva York con poco dinero y un baúl lleno de dibujos y manuscritos. La calidad de sus ilustraciones le permitió publicar en importantes revistas, como *Squire*, *Harper's Magazine* y periódicos, como *The New York Times*, entre otros. También salieron a la luz sus primeras publicaciones infantiles, como la zaga de *Los Melops*, *Críctor*, *Ningún beso para mamá* o *Los Tres Bandidos*. En 1966 apareció *Hombre Luna*, uno de sus libros más reconocidos.

«Nadie ha sido tan original e influyente», dijo de él su colega y amigo Maurice Sendak. En 1970, desencantado de la sociedad en la que vivía, se estableció en una granja en Canadá. Mientras tanto, en Estrasburgo —ciudad a la cual Tomi había donado 4 500 dibujos y su colección de 2 500 juguetes antiguos—, se organizó una gran exposición con sus ilustraciones, y más tarde, en 2007, se fundó un museo consagrado a su obra. Tomi Ungerer, a quien se le concedió en 1990 la Legión de Honor en París y fue nombrado en 2003 Embajador de la Niñez y la Educación por el Consejo de Europa, recibió importantes reconocimientos internacionales a su labor artística, entre los que destacan el premio Hans Christian Andersen en 1998 y The Society of Illustrator's Gold Medal. Actualmente, vive y trabaja en Irlanda, donde también dedica gran parte de su tiempo a causas humanitarias. «Creo que el artista debe tener conciencia de su papel social. Cuanto más éxito tienes, más influencia tienes y, por tanto, más responsabilidad ante la sociedad. Es casi como una deuda».